Mapping the Tribe
O mapa da tribo

Salgado Maranhão

Translated from the Portuguese
by Alexis Levitin

Spuyten Duyvil
New York City

Acknowledgments

Thank you to the editors of the following magazines in which many of these poems first appeared:

Birmingham Poetry Review
Bitter Oleander
Eleven/eleven
Evansville Review
Ezra
International Poetry Review
Latin American Literary Review
Metamorphoses
Mid-American Review
Plume
Xavier Review

I would like to thank Anderson Falcão for the cover design, my old friends Gregory Rabassa and Colette Inez, posthumously, and a new friend, Tracy K. Smith, for the blurbs on the back cover, Alex Ribeiro for the photographic portrait of Salgado Maranhão on the back cover, Nick Levitin for the photographic portraits of Salgado and me accompanying our bio sketches, and Spuyten Duyvil for taking on this project. Most of all, I must thank Salgado Maranhão for over a decade of close friendship and felicitous collaboration in matching the music of our tongues.

ISBN 978-1-952419-47-8
Cover Design: Anderson Falcão / AF Design Total
Photo by Alex Ribeiro
Bio Sketch Photos by Nick Levitin

Library of Congress Cataloging-in-Publication Data

Names: Maranhão, Salgado, author. | Levitin, Alexis, translator.
Title: Mapping the tribe = O mapa da tribo / Salgado Maranhão ; translated from the Portuguese by Alexis Levitin.
Other titles: Mapa da tribo
Description: New York City : Spuyten Duyvil, [2021] | Parallel text of Portuguese and English translations.
Identifiers: LCCN 2020048819 | ISBN 9781952419478 (paperback)
Subjects: LCSH: Maranhão, Salgado, 1953---Translations into English. | LCGFT: Poetry.
Classification: LCC PQ9698.23.A624 M3713 2021 | DDC 869.1/42--dc23
LC record available at https://lccn.loc.gov/2020048819

Mapping the Tribe

O mapa da tribo

Salgado Maranhão

Translation / Alexis Levitin

Contents

Translator's Brief Remarks and Acknowledgments

In the spring of 2007, Brown University hosted "A Moveable Feast," an international festival of poetry from the Portuguese-speaking world. Prof. Luiz Fernando Valente, in organizing this event, made a special effort to bring Salgado Maranhão and me together. He had discovered Salgado's poetry during his regular visits to Brazil, and he felt that "it was high time Salgado's work became available to English Language audiences." Prof. Valente's efforts bore fruit. Salgado and I quickly developed a warm friendship, and an excellent working relationship soon blossomed. Now, just a dozen years after our first meeting, we are bringing out this book, *Mapping the Tribe*, our fourth bilingual collection of poetry to be published here in the United States. We both owe a great debt of thanks to the professor who served as godfather to our friendship and our collaboration.

One of the strongest ties binding Salgado and me together is our shared love of the sound of language. For both of us, poetry is a form of music. So, in our years of collaboration, listening to Salgado's Portuguese original and listening to my English translation were essential to our work and our joy in doing our work. We both feel that my task as translator is to be true to the music of Salgado's original, while also being true to the music of my own native tongue. We both believe that this dual loyalty is at the heart of our shared endeavor.

Salgado and I have worked together on nine collections of his poetry so far. We have worked in Plattsburgh, where I live, in Rio de Janeiro, where he lives, in Teresina, the principal city of the region from which he originally sprang, and in various libraries scattered across the United States, during our five or six lengthy national reading tours. All this labor, a playing with words and the music of words, was a great pleasure for both of us. So, too, were our extensive travels, as we drove across this vast and varied land, giving bilingual presentations in colleges and universities, from Chatham to Chicago, Harvard to Hamline, SUNY to Stanford, Bard to Birmingham Southern, Middlebury to Mills, Allegheny to Arkansas, Tulane to Texas Tech. We often felt like a two-man road show, presenting, night after night, not to rock and roll crowds of 40,000, but to a more modest public of forty. We drove up to 17,000 miles in one sustained trip, we never missed a gig, we never arrived late, and we never had a fight. It was a joy!

A brief remark on the title of this book. In Portuguese this collection is called *O mapa da tribo (The Map of the Tribe)*. I felt that Salgado's effort to call forth strands of his past, to bring together music, memories, and blood from Africa, the backlands of Brazil, and the urban center in which he has lived his adult life, needed a more vigorous formulation to convey the on-going thrust of his multi-dimensional experience. So I opted for a more active variant of the same vision: *Mapping the Tribe*. I hope the text resonates for you. I only wish, in this difficult era of social distancing, that we could come and recite, chant, even sing this richly textured book for you, in the flesh.

Alexis Levitin
Plattsburgh, N.Y.,
summer, 2020

Preface

Writing poetry is akin to drawing a map, though the tools and aims are often quite different. Every poem functions as a guide, but to more than is immediately visible to the eye and ear. What resonates within and around the poem, its surface, its subtexts and contexts, its depths, take us to places we might not have expected. And so it is with the cartographies of Salgado Maranhão's arresting collection *Mapping the Tribe*, translated with subtlety, precision and panache by Alexis Levitin. Maranhão's maps and geographies are those of language, literature, myth, experience, and history—personal, local, national, and transnational. The mappings mark a new distillation of the multiple and extended dialogues this poet has engaged in throughout his entire writing life, here refined to a lyric that is as much song as text, as much sky as soil, as much spirit as soul, as much plaint as revel.

These tracks and routes, which begin with two extended, sequential sequences, take us along an intricate journey during which we can see, hear and feel not only the indelible artistry of Maranhão himself, but echoes and traces of the high lyricism of prior generations of Brazilian, Lusophone and other Latin American poets, along with the Afro-Brazilian, Indigenous and *sertanejo* cultures from which Maranhão, as a person and poet, emerged; the modern troubadour style of the *repentistas,* itinerant bards who passed through his and countless villages and towns in Brazil's rural northeast, performing their tightly rhymed and rhythmic verses; and the rich body of world literature that the poet has immersed himself in since his teenage years.

In *Mapping the Tribe,* Maranhão explores a poetics of affirmation and negation. "After arriving at everything, / one must swim back / to nothing," this collection lapidarily primes the reader, right before launching into the book's opening poetic suite, "Lamentations and/or Verbal Snapshots," which reveals the poignant and compelling multi-part lyric that will follow. These lamentations are, as this poem's title and its individual sections show, also avowals of experience and feeling, and of the poet's profound negative capability. Each acknowledges the destination, not without ordeal, in the form of verbal snapshots, as images and their negatives, that the poet has set out for and reached, while also exploring his return, to the null point of his experience, language, thought and feeling. One way to read these poems might view them as a recognition of and a grappling with death, in the face and fact of artistic accomplishment, and that would not be wrong, but *Mapping the Tribe* suggests such an approach would be too limited and limiting, because the horizons here exceed the mortal. Our poet, though human, is heroic in his *poiesis*. Poetry, like all art, he underscores, is the ironic testament and counterpoint to the boundaries that mortality, and time itself, impose.

These poems lead the reader along the emotional trajectory of a life, though not one wedded either strictly to autobiography and chronological specificity, nor so abstracted that it unfurls stripped of context. Instead, Maranhão portrays a particular artist's path, *this* artist's, whose bardic bounty of metaphors and metonyms orient the reader while also bearing us beyond the personal, revealing the poet's intertwined and sometimes contradictory navigations, the circuits of his mind and heart, his interior life and movement in the wider world, amid earthly Eros and spiritual realms, his visits to the place of legend, from his first home in the nameless land to the silent avenues of the city. In so doing, Maranhão displays the range of his gifts, including his poetic influences and inheritance. Yet these journeys among his tribes, which is to say, among the vital sources of his art and life, are distinctively his own.

What I describe here is a form of dialectics that animate this often elegiac collection. In this initiatory poem, Maranhão renders these dialectics formally through alternating numbered verse and lettered prose sections. He does so in terms of theme and content within each section and across the poem. Stated another way, the collection's opening antiphonal gambits set the stage for all that follows in *Mapping the Tribe*: life is a conversation, often bittersweet, spurred by the poet, and neither its joys nor sorrows will be spared wherever he goes. As he writes, opening section 2 of "Lamentations and/or Verbal Snapshots,"

The backlands bit at my heels. The back

lands—an old coyote dressed
in supplication (without my noticing, it carved out
cavities in my memories);
behold how the poem bleeds
dressed
      in those who are absent;

The past tracks him, in figurative form, leaving its mark not only on him but his art. And then, several pages letter, we read, in section e:

I carry in my hide the labor of a sermon of moaned promises; the iron destiny of a will of flesh and dream. And I carry on between suns and losses, unshackling the inner dawn.

As the collection proceeds, the poetic perspectives multiply, signaled by the subsequent section title "Other Selves." Here the poet, in the fashion of Walt Whitman and Fernando Pessoa, encompasses multitudes. *I* is those others, echoing Arthur Rimbaud, other eyes, hearts, mouths, breaths, fingers, all that this poetic speaker encounters, and his own. In "Land Without a Name," the poem heading this section, landscape itself becomes an I, comes alive, hard, harsh, at times violent and unforgiving, yet also full of contour and beauty, and it pursues the poet's memory as he pursues it. This personified landscape, this *sertão* of a past, offers yet another dialogic partner, its presence one the poet welcomes yet is also careful about connecting with. It is the place in which he first dreamt, daydreamed, and thought. It was and is his first school, the terrain of his ancestral tribe, being spoken into being before he ever writes a poem, and, as he shows us inimitably, his ongoing collaborator.

Desire becomes the poet's next interlocutor, in a suite of poems in which the ache of love and lust, along with the occasional pangs of loss resonate, achieving the condition of song. The spatiotemporal and dialectical journeys of the preceding long poems here settle down into moments of an earthly corporeality, though in figures as mobile as quicksilver. The poet's beloveds, women named and unnamed, spur him toward the amatory, and every metaphor and simile he can wield becomes a means to display the power of his love, of his ability to invoke and evoke those and that which slips, like the first burst of emotion, through his fingertips, but which poetry nevertheless retains, as he shares in "Specter":

> With words
> I can still embrace
> her shoulders
> and preserve the silence
> in which her pearl is hidden.

After desire, the litanies. The poet, grounded in contemplation, takes stock of and enumerates what has passed and what remains, heralding this work in the next section's title, "Here for the Time Being." After love's reveries, there is the jolt of waking into the quotidian, into memory's no less exciting if unerotic residue, among the "mean street / machines / screaming / panicked syllables of a now / where vultures / tear utopias," as he says in "Litany I." We have come back to the territory of lamentations, though these are new, the recollections and imagery more refractory, surreal. Yet for our bard these poems, in their individual and collective force, serve as ballast. If the destination was the initial goal, these poems appear to say that now, the return, the aftermath, is worthy of examination, in sustained form, no matter how difficult and painful that process might be.

Finally, the contemporary bard returns to his first point of departure, to the early songs, the rhythms of his youth, to those troubadours and all who listened and sang and practiced these modes of cultural expression, bearing, like him, that music inside them all their lives. He also recalls the ancestors, Indigenous—"Urubus, Guajás, Tamiras" and African-- "Yorubá, Gêge, Nagô"—in a highly rhythmical, rhyming and memorable style that condenses everything to its essence, and brings this collection to a close. The stories meld, myths merge, as our poet, battle-worn and shorn of his illusions, solitary but not without knowledge and experience he can marshal when necessary, like Odysseus, once again treads his native soil, those backlands whose dust never fully left his soles, and allows the world from which he sprang to restore him. Unbroken, he is able to express his satisfaction, wistful though it may be, of "Return," and with this final lyric suite, the journey ends to our satisfaction and with our awe as well:

> I, too, rappelling down, have held my grip,
> and come back to my homeland purified,
> without Penelope, war horse, or ships,
> just bringing with me blessings from on high,
> words streaming from my throat and from my lips.

John Keene
Distinguished Professor,
Rutgers University-Newark
MacArthur Foundation Fellow, 2018-2023

After arriving at everything,
one must swim back
to nothing.

Depois que se chega ao tudo
é preciso voltar
a nado.

Lamentations and/or Verbal Snapshots

The cry of the artery over the map.
Corsino Fortes

Neniarias e/ou Fotogramas Verbais

O grito da artéria sobre o mapa.
Corsino Fortes

1.

I go back home trotting
on the hours
to the incurable
shelter
of the
boondocks of my past. I return
spelling out the tracks,
facing the enclave of dream,
facing the lyre of sunset.

I exist before an I
that eats chives
and another that hides
among lightning bolts.

And I follow unbridled
the one that migrates
to tomorrow's yesterday,
as if I were awakening to
a field planted in mirrors.

Anonymous cities cry out from
my flesh; secret
avenues still cling to my shoes;
after all the others I became,
never again can I be the same.

1.

Volto para casa trotando
nas horas
ao abrigo
insanável
de minhas
vilas havidas. Retorno
soletrando os trilhos,
face ao enclave do sonho,
face à lira do crepúsculo.

Existo ante um eu
que come alfaces
e um outro que disfarça
entre relâmpagos.

E sigo à revelia
deste um que migra
ao ontem de amanhã,
como se me abrissem
uma lavoura de espelhos.

Cidades anônimas gritam
em minha carne; avenidas
secretas guardam meus sapatos;
de tantos que me tornei,
já não me retorno ao mesmo.

a)

...and the boy grew up eating wasps; paginating the parchment of the wind. His dreams hitting the goal-post, his gaze directed by his testicles. So many farewells without departure; so much hard earth on his heels, weaving time in reverse: offspring (without a name) made for stock, to be lost between *could be* and *too late.*

a)

(...) e o menino cresceu comendo vésperas; paginando o pergaminho do vento. O sonho a bater na trave, o olhar regido pelos testículos. Tanto adeus sem partida; tanta terra dura nos calcanhares tecendo o tempo ao revés: o rebento (sem nome) feito para estoque, para perder-se entre *o seria* e o *já era tempo.*

2.

The backlands bit at my heels. The back

lands—an old coyote dressed
in supplication (without my noticing, it carved out
cavities in my memories):
behold how the poem bleeds
dressed
          in those who are absent;
behold my nails of muck
and servitude.

In my body
summer planted cicadas,
raised words from ruins
(and all hyperbole
beyond what was.)

Where I am passing through
even the stones are howling.

2.

O sertão mordeu meus calcanhares. O ser-

tão é um coiote vestido
de súplica (sem que eu visse, abriu
cáries em minhas lembranças);
eis como sangra o poema
vestido
            de ausentes;
eis minhas unhas de barro
e servidão.

Em meu corpo
o verão plantou cigarras,
ergueu palavras sobre ruínas
(e essa hipérbole
para além do havido.)

Por onde passo
até as pedras uivam.

b)

(It was already at play, the throbbing of the light in my eyes before the infallible waiting for servile morning. And the rumination of madness depicted by silence. Faith like steel digging into stone. And the door open to never. In the entrails of enigmas, a voice dared polish my delirium. Beside defeated arms and the seed of the dead. Beside the lust of a laughing cloud.)

b)

(Já era lúdico o latejar da luz nos olhos ante a infalível espera da manhã servil. E o ruminar da loucura ilustrada pelo silêncio. Já era férrea a fé cavando a pedra. E a porta aberta ao nunca. Nessa entranha de enigmas uma voz ousou lapidar meu delírio. Junto às armas vencidas e a semente dos mortos. Junto ao cio desta nuvem que ri.)

3.

My wandering words,
                                        my wild sapling.
And a cave-drawn digression
for longing and an accordion; a
maybe Eden
                        lost
in the improbable
(who will bring me back
that voluptuousness?)
This day is dry
                            and there rustles
in my dream
                            a scrap of paper
with nothing written on it;

slipping away from what I am
where I come from saves me.

It is in the burning off of innocence
                                                            that one dies.

3.

Meu canterrático,
é rebento.
E digressão rupestre
para saudade e sanfona; um
talvez Éden
perdido
no improvável
(quem me trará de volta
essa volúpia?)
O hoje está seco
e chocalha
em meu sono
uma fatura
sem legenda;

derrapante do que sou
a origem me socorre.

É no arder da inocência
que se morre.

c)

One can reap the secret word on the peninsula that desire hides between its wings. I will call forth from cunning the oracle that transmutes the desert and its fire. I will call forth from the rain the fugitive rays of memory. One can pluck a flower from the machete's lust. For the blood that moves stones is a petal; for the shadow of the word thirsts for blood. And close to the end, there is an ax and sandalwood, fragrant with martyrdom.

c)

(É possível colher a palavra secreta na península que o desejo esconde entre as asas. Chamarei de ardil o oráculo que transmigra o fogo e o deserto. Chamarei de chuva o esquivo raio da memória. É possível colher uma flor no cio das facas. Porque é pétala o sangue que remove a pedra; porque sanguínea é a sombra da palavra. E ao rés do fim, só machado e sândalos há, perfumados pelo martírio.)

4.

I still know how to tame the dark—
that lamentation
composed for our eyes.
For I belong
to the sect of those who have
a zither in their teeth.
I who am of the land
slashed by non-being,
I hear the grinding of the days
in all my rituals,
without my knowing
if they are passing by
or through me.

Only the street of madmen
lists me
with its anonymous.
And even if I invent
a dawn,
it is from darkness
that it springs.
I am the one who breaks in
words
and disquietude —
before truth
served with blood,
before time
with pain knocking at the door.

From here,
from these symbols of ephemera,
I try to shake danger,
but wolves
do not devour syllables.

4.

Ainda sei domar a treva –
essa nênia
composta para os olhos.
Porque pertenço
à seita dos que têm
cítara nos dentes.
Eu que sou da terra
cortada pelo não-ser,
ouço o rilhar dos dias
em meus ritos,
sem que eu saiba
se passam
ou me transpassam.

Apenas a rua dos loucos
me alista
em seus anônimos.
E ainda que eu invente
o amanhecer,
é da treva
o que se atreve.
Sou o que adestra
as palavras
e o desassossego –
ante a verdade
servida com sangue,
ante o tempo
em que a dor bate à porta.

Daqui,
destas siglas do efêmero,
tento iludir o perigo,
mas os lobos
não comem sílabas.

d)

(It wasn't due to boredom or surprise. All belief this time comes from the molars, in the voraciousness of the voice above chaos. I am the wing the backlands gave to the wind. I who see the crow with its black eyes, beneath a diesel sun, with hunger tattooed upon its name. I who turned the storm upside down, searching for the surface of God.)

d)

(Não foi razão de tédio nem de espanto. Todo o credo desta vez vem dos molares, na voragem da voz sobre o caos. Sou a asa que o sertão deu para o vento. Eu que vi o corvo de olhos negros, sob um sol a diesel, com a fome tatuada em seu nome. Eu que reviro a tempestade procurando a superfície de Deus.)

5.

It comes from the riddle of footprints
in the mud,
                that ancestral April
fixed in memory; and from
the factor of wonders
comes the fervor
                        that sweetens what aches: that
thirst barely whispered; that

blue
      touched by mystery.

Huddled on the inside, I came
breaking through the underbrush
                                    and all oblivion:
risks of the new-made trail.
And being neither stone
                                nor breeze,
my waters beat
                        against my quay
between maps and long-lost passageways.

5.

Vem do crivo dos pés
no barro
esse abril ancestral
cingido à memória; e vem
da usina de espantos
o fervor
que adoça o que dói: esta
sede apenas sussurrada; esse

azul
tangido pelo mistério.

Recolhido ao avesso, vim
rompendo as brenhas
e o esquecimento:
o risco no lugar do rastro.
E não sendo de pedra
nem de brisa,
deságuo
em meu cais
entre mapas e rotas perdidas.

e)

I could have raised myself to the sacred estuary of the vineyards through the calling out of my noble inebriants: the one who was blind and ate stars; the one who was mute and conversed with angels. I carry in my hide the labor of a sermon of moaned promises: the iron destiny of a will of flesh and dream. And I carry on between suns and losses, unshackling the inner dawn.

e)

(Eu podia ter-me erguido ao sagrado estuário das vinhas, pelo clamor dos meus ébrios insignes: o que era cego e comia estrelas; o que era mudo e falava aos anjos. Carrego no couro a faina de um sermão gemido de promessas: a sina férrea de um arbítrio de carne e sonho. E prossigo entre sóis e perdas a destravar por dentro o amanhecer.)

6.

I construct an existence
of words
in the design where I left behind
a piece of my river.

Will I drink of this non-water
that floods the instant
and the summer?

My heart aches
tattooed with absence;
And I ache with the certainty
of abbreviation.
Twilight took shelter
in my eyes
beneath the rage of savage
days; a
twilight of fighting and tumult
(like that afternoon in revolt when I saw,
for the first time, a knife show
its teeth).

Wounded by much that has happened,
I long for what never occurred.

6.

Construo uma existência
de palavras
no desenho em que perdi
um pedaço do meu rio.

Beberei desta não-água,
que inunda o instante
e o estio?

Dói-me o coração
tatuado de ausência;
e dói-me a certeza
do que abrevio.
Um crepúsculo hospedou-se
em meus olhos
sob a ira dos dias
selvagens; um
crepúsculo de rinhas e alvoroço
(como o da tarde insurgente em que vi,
pela primeira vez, uma faca mostrar
os dentes).

Ferido de tanto havido,
tenho saudades do que não houve.

f)

(It was normal to lick another's face with your machete. To sculpt barbarity in cold-blood, with initials from the abyss. I preserve that dried primrose as if I had dreamed it. Free of those pre-humans who, for sure, are still in me. Even after the patina that clothes me as modern. Even after Goethe by lamplight.)

f)

(Era aceito lamber a facão a face alheia. Esculpir a barbárie a frio com a rubrica do abismo. Recolho (agora) essa prímula seca como se sonhara. Despovoado daqueles pré-humanos que, decerto, ainda são-me. Mesmo depois da pátina que me veste a moderno. Mesmo após o Goethe à luz da lamparina.)

7.

This is the body that houses
the rounds of our senses. This
is the circle of memory. Or
perhaps
(in secret)
the dust
of what never was.

There is a solar ritual
like greyness, implacable;
there is in me
a trophy
that dwells in the desert:
lacerated by yesterday—
alone—
I am as old as
my memories.
I who crawl
between stones and song,
bellow to the four winds
an amphibian fever,
and not even my words are listening.

7.

Este é o corpo que acolhe
a rota dos sentidos. Este
é o cerco da memória. Ou
talvez
(secretamente)
a poeira
do que não fora.

Há um rito solar
feito à gris, irrefreável;
há em mim
um troféu
que habita o deserto:
lanharam-me do ontem e –
sozinho –
tenho a idade
das lembranças.
Eu que me arrasto
entre pedras e cantarias,
berro aos quatro cantos
uma febre anfíbia,
e nem as palavras me escutam.

g)

It was an insolent earth and a sun coming over a wasteland, a jumble chiseled into bones and forgetfulness, where a dream-earth dined upon its offspring. And where children gathered the dreaming pupils of the mist. From this destiny sparks of bread and water stolen from vipers were born. And it endures, still, the affirmation of bloody fire, whenever the desert comes to breathe into my mouth this cunning sanctified by venom.

g)

(Era um chão insolente e um sol que ejaculava sobre o abandono; um acervo lavrado nos ossos e no esquecimento, onde a terra onírica jantou seus rebentos. E onde os infantes colheram as pupilas sonhadoras da neblina. Desta sina nasceram as centelhas do pão e das águas roubadas às víboras. E perdura, ainda, a revanche do fogo sanguíneo, toda vez que o deserto vem soprar em minha boca esta lábia santificada pelo veneno).

Other Selves

And those who through their valorous deeds
Free themselves from the Law of Death
Luís de Camões

Os Outros Eus

E aqueles que por obras valerosas
Se vão da Lei da Morte Libertando
Luís de Camões

Land Without a Name

I.

The solstice opened a path
for the waters and, with them,
the scent of firewood
and thistles.

Blessed be the blossom of the chrysalis
that gives fragrance to blood
and this land without a name.

Here,
a drum's response healed
the weeping
of houses of mud
in an abyss whipped
by the winds.

And the night licked clean
its carnivorous teeth.

TERRA SEM NOME

I.

O solstício abriu o caminho
das águas e, com elas,
o cheiro da lenha
e das espigas.

Bendita seja a flor do casulo
que perfuma o sangue
e a terra sem nome.

Aqui,
um tambor replicante sarou
o choro
das casas de barro
no abismo açoitado
de ventos.

E a noite passou a limpo
seus carnívoros dentes.

II.

There was a lightning flash rending
the fields of a madman, in
a time remembered
                                        in *staccato*;
there was wandering
and a nucleus of blood
amongst daggers.

Then came words
sniffing at locks
and keyholes,
insoluble wrangling,
and the creaking beds
of lovers.

All engraved
in a mirror without a face,
gazing inward
like the eyes of the blind.

II.

Houve o relâmpago abrindo
a seara de um louco, num
tempo erguido
em *staccato*;
houve o desabrigo
e um núcleo de sangue
entre punhais.

Depois vieram as palavras
auscultar a fechadura
das portas,
as rixas insolúveis
e o ranger das camas
dos amantes.

Tudo está gravado
num espelho sem face,
que vê para dentro
como o olho dos cegos.

III.

Far off sleep the tears
of sorrow-laden waterholes, hostage
to the landscape of memory. Far off

from me myself, drawn
to dream and to desire;
being just this ONE
                                        that survives:
this *Guaja Nagô*
                                        of thatched hut
villages.

Knowing it just mine,
the imprint of those yesterdays,
untranslatable as never
and the days that still remain.

III.

Longe dorme o choro
das cacimbas tristes, refém
do cenário da memória. Longe

estou de mim, arrastado
ao sonho e ao arbítrio;

sendo só este UM
que remanesce:

este GuajaNagô
das póvoas
de sapê.

Sabendo ser só minha
a estamparia desses ontens,
intraduzíveis como o nunca
e os dias que me restam.

IV.

The grain that tore me
with words
                    came
with a husk. And brought along
a feverish heart
to set the night aflame.

This grain gnawed at
by delays
crashing
against bone
                    (and a face
both denouncement
and name.)
I cling to the pollen
of that voice
                    that sings me into song
and is my very map
exposed.

The grain gnawed by the word
came with its husk,
                              to the flatness
of this earth I tread upon,
this earth already passing me by.

IV.

O grão que rasgou-me
com a palavra,
veio
com casca. E trouxe
um coração febril
para ferver a noite.

Este grão ruído
de demoras
a colidir
com o osso
(e um rosto
que é denúncia
e grife.)
Aferro-me ao pólen
desta voz
que me solfeja
e que é meu próprio
mapa anverso.

O grão ruído da palavra
veio com casca,
no raso
deste chão que piso
e que me ultrapassa.

V.

for Miss Elizabete

In the place where
my feet
were roots,
men slashed open
the mornings with a machete
and women washed
cassava
along with petticoats
in the rivers from which we drank.

And a sun would consume
the trees
and caress the rain.

I gathered
the gaze of those mornings
in the features
of lives
without fingerprints.

In the place
where my feet
deciphered grammar
and the word was hewn
with an ax.

V.

para Miss. Elizabete

No lugar em que
meus pés
                foram raízes,
os homens abriam
as manhãs a facão
e as mulheres lavavam
a farinha
                e as anáguas
nos rios de beber.

E um sol consumia
as árvores
                e acariciava a chuva.

Eu colhi
a pupila dessas manhãs
no semblante
                das vidas
sem digitais.

No lugar
em que meus pés
decifraram gramáticas
e a palavra se fez
                a machado.

VI.

(There is a time to hone
steel
        and hide it
behind the door,
for its gleam
begs for darkness.

There is a time to fatten
rage in marinate: add salt
and pepper to your taste.
And bile against the very self.

I've seen the thrust of a dagger
slice through a bellowing heart.
I've seen men fighting mad.

And a scarlet moon
                                draining
away from life.)

VI.

(Há um tempo de sovar
o aço
        e guardá-lo
atrás da porta,
porque o brilho
pede escuridão.

Há um tempo de cevar
a raiva no tempero quente: o sal
e a pimenta a gosto.
E a biles no contragosto.

Eu vi o bote de uma adaga
escandir o coração berrante.
Eu vi a delenda!

E uma lua escarlate
                        escorreu
para fora da vida.)

VII.

For Marcelino Freire

In crushed sugar cane there's still
a wisp of fire; in
revenge
          an ascetic powder
still persists.

Pain polishes
leather
          where a fist
of fear exudes
its poison.

Sooner or later
                    the siege
recedes
from all that is
                    soft
or suffers
          versions of the soul
in memory.

I will sing, visceral, beneath
this wildfire,
like one who has nothing but this earth
and his teeth.

VII.

para Marcelino Freire

No bagaço ainda resta
o faro do incêndio; na
revanche
            ainda insiste
a pólvora ascética.

A dor enverniza
o couro
          – onde a mão
do medo extrai
sua peçonha.

Cedo ou tarde
                  o assédio
cede.
Em tudo que é
                  soft
ou sofre
          as versões da alma
sobre a memória.

Cantarei – visceral! – sob
este fogo andante,
como quem só tem o chão
e os dentes.

VIII.

I'll be invisible to the eyes
of the shipwreck,
                                        for
a wind has blown me
to the other bank.

Even so I sell myself
bit by bit
serving
invention and revolt.

I'm a loner
                        my siege
alive in naming.

In my salt
hills, rivers, forests were asleep
(*buritis, babaçus...*)

And I advance
through closed up cities,
unraveling rhymes
that translate me

into verbal pastures come
again: the dung
of memory; the remains
of feelings without an address.

VIII.

Serei invisível aos olhos
do naufrágio,
porque
um vento me soprou
na outra margem.

Mesmo assim me revendo
aos pedaços
para servir
de invento e rebeldia.

Sou um solitário
assédio
resumido ao nome.

Em meu sal
dormiram cerros, rios, bosques
(buritis, babaçus...)

E avanço
entre cerradas urbes,
cardando rimas
que me traduzem

nestas pastagens verbais retro –
vindas: estercos
da memória; sobras
de afetos sem endereço.

IX.

Even though all that remains is the breath
of this hour
and its yelping, even
though the fetish of bloodied
glory
        growls at us,
rebellious love
tames the anger
                    of the winds.
Things sniffed out by
desire
        want to come to light
to eat dreams alive.

There's a clattering of lightning
in the veins, scraps of iridescent
heaven, seamless, before
the convulsions of empty entrails
and the traffic of the abyss.

Spawned
from the cage of the breast
reality devours concept.

IX.

Ainda que só reste o sopro
desta hora
e o seu ganido, ainda
que nos rosne o fetiche
da glória
                    ensanguentada,
o amor insurgente
doma a cólera
                         dos ventos.
As coisas farejadas pelo
desejo
               querem vir ao sol
comer sonhos vivos.

São tropéis de relâmpagos
nas veias, cacos de um céu
furta-cor, inconsútil, ante
a convulsão das tripas ocas
e o tráfico de abismos.

Parido
desde a jaula do peito
o real devora o conceito.

X.

Time that passed beyond time
wrote my name
in the landscape
                        of beings
that were me
without my being.

I am the one who shares
the dream blood
of that river of remaindered
ethnicities.

One had to anoint leathered flesh
with herbs
and stew oblivion
over a low flame;

one had to raise up
fine words
between desire
and the street dogs on the corner.

(I've watched the rain flowing
from the roofs of old houses
to grow where life
is muddied earth.)

And wash clean the tongue of the dead
who, coming back,
                        lash my lyre,
in a time that has passed
without me passing.

X.

O tempo que passou
fora do tempo,
escreveu meu nome
na paisagem
                    dos entes
que me foram
sem que eu fosse.

Sou o que partilha
o sangue onírico
desse rio de sobras
de etnias.

Foi preciso ungir ervas
ao couro
e cozer o esquecimento
em fogo brando;

foi preciso erguer
palavras finas
entre o desejo
e os cães de esquina.

(Eu vi a chuva escorrer
do teto das casas velhas
para crescer onde a vida
é barro.)

E lavar a língua dos mortos
que de regresso
                    açoita a lira,
no tempo que passou
sem que eu passasse.

Heart on One's Lips

Like one disrobing
on a cold day…

Coração No Lábio

Como quem se despe
num dia de frio...

Domain

Memories of shadows came
tap-dancing
                on my domain
of raw earth. And a sun
of daggers bloodied
                        my path.
Now,
        if I sing, my words
are made of lava.

Shadows of terracotta came
with the skin
                  of autumn. And grazing
over a field of tin,
I am the logo of the wind.

Oh, child of consummated passions!
Oh, essence of endless waiting!

Your bones sprout geraniums
and death begs your forgiveness.

DOMÍNIOS

Vieram as memórias de sombras
sapatear
meus domínios
de terra crua. E um sol
de azagaias sangrou
meu caminho.
Agora,
se canto, são de lava
as palavras.

Vieram sombras de terracota
entre cascas
de outono. E rasante
sobre um chão de lata,
sou da grife do vento.

Ó filho das paixões consumidas!
Ó extrato de esperas!

Teus ossos brotam gerânios
e a morte te pede desculpas.

Temple

I follow the rebellious
flame
          that weaves
my unsketched days.

I who pull myself by bits
                                        together,
being found, go on
to lose myself; I who envisioned
the face of the myth
                              and restored the crystals
of dreamers.

Come burning lava
to pollinate women;
Come secret rain!

My temple is the one of imaginary
flowerings: the orgasmic design
in words
          and the price written in the bowels.

TEMPLO

Eu persigo a labareda
insurgente
que entretece
os dias sem rascunho.

Eu que me junto
aos retalhos
e encontrado sigo
a perder-me; eu que antevi
a cara do mito
e cerzi o cristal
dos sonhadores.

Vem lava incendida
que poliniza as mulheres;
vem chuva secreta!

Meu templo é o das florações
imaginárias: o *design* orgástico
nas palavras
e o preço escrito nas vísceras.

The One Who Howls

I hear the howling of an absence
on my trail:
a she-wolf
snarling
with the claws of a brute.

I listen with my teeth;
feel with my nails,
touched by what
in me
is instinct and ecstasy.

I am written
in many nothings
and they knock at my door
with a name
no longer mine:
roadside
eaten by the desert.

I may be mad
like a thunderstorm;
I may be sick
like utopias.

But there cries in my flesh
a burning rage of being.
A flash of russet legs
tore my silence;
since then I've been nothing
but this refuge of tales.

This door open to the birds.

LADRANTE

Ouço ladrar uma ausência
que me rasteja:
loba
a rosnar
com a pata dos brutos.

Ouço com os dentes;
sinto com as unhas,
tangido pelo que
em mim
é instinto e êxtase.

Estou escrito
em muitos nadas
e bateram em minha porta
com um nome
que já não sou:
borda de estrada
comida pelo deserto.

Posso estar louco
como a tempestade;
posso estar enfermo
como as utopias.

Mas grito na carne
uma acesa sanha de ser.
Um raio de pernas ruivas
rasgou meu silêncio,
desde então sou somente
este abrigo de enredos.

Esta porta aberta aos pássaros.

Orbit

In the orbiting of love
a reclusive
                    winter
hibernates: a viper
coiled in the flowers.

Drunken dawns
pass over it,
panicked virgins go their way,
and those not born
for vine leaves.

A piece of mystery
presumes to capture it
with words: the
orbit that reveals itself
                                        only
to the demented and the blind.

I seek a doorway,
a lap
        to lay my head,
and, disciple of the dew dark night,
sell my tongue for the delight of others.

ÓRBITA

Na órbita do amor
hiberna
um recluso
inverno: víbora
enroscada nas flores.

Sobre ela passam
madrugadas bêbadas,
passam virgens pânicas
e os que não nasceram
para as vinhas.

Um pedaço de mistério
supõe agarrá-la
com as palavras: a
órbita que se mostra
apenas
aos cegos e aos insanos.

Busco a porta
de um colo
em que me deite,
e, discípulo do relento,
vendo a língua para deleite.

Cloud

For Lilia

You are the petal
crossing through the rain
and the garden of swords.

And you carry in your womb
the light of grain.

You are the refuge
that troubles ancient warriors,
for whom noble death
begins time once again.

A cloud of sandalwood
makes a nest in your poplar trees;
a cloud that carries off
the strong
                    and the weak
like me.

NUVEM

para Lília

Tu és a pétala
que atravessa a chuva
e o jardim de espadas.

E carregas no ventre
a luz do grão.

És o refúgio
que inquieta os guerreiros,
para quem a morte insigne
recomeça o tempo.

Uma nuvem de sândalo
se aninha em teus álamos;
uma nuvem que arrebata
os fortes
              e os fracos
como eu.

Blaze

I cling to your reflection,
to the memory of your
liquid
nature.

Your seas ache
in my outcries.

Come,
mandala of seven faces,
tear open the night
that denies your desires.

The salt the land
made rich
above the peace of nothings
has not dried up your name.

And that is why
the grammar of flowers
overflows your sex.
That is why the mystery
of living things
provokes you.

Come,
so I may open wide
your buds
and stir and stoke in you
a blaze.

INCÊNDIOS

Agarro-me ao teu reflexo,
à memória de tua
natureza
líquida.

Teus mares estão doendo
em meus apelos.

Vem,
mandala de sete faces,
e rasga a noite
que te nega os hormônios.

O sal que a terra
cevou
sobre a paz dos nulos,
não secou teu nome.

Por isso,
a gramática das flores
transborda em teu sexo.
Por isso é que te induz
o mistério das coisas
vivas.

Vem,
para que eu te abra
os gomos
e te provoque
incêndios.

Colt

For T.T.

When primordial flame
implodes your skirts
of wind
and your flesh
fertilizes my spear
of stone,
            it will be sweet to die,
it will be like burning up
among blossoms of sandalwood.

I belong to that remote
sect
      in which one's own
heart is the prophet.
Now I will be unrestrained
like the hunger of colts
and my desire a wolf
on your trail.

POTRO

para T. T.

Quando o fogo atávico
implodir tuas saias
de vento
e tua carne
adubar minha lança
de pedra,
    será doce morrer,
será como arder
entre flores de sândalo.

Apeguei-me a esta seita
remota
    em que o próprio
coração é o profeta.
Agora serei incontido
como a fome dos potros
e meu desejo é um lobo
em teu rastro.

Woman

I strip away your underclothes
obsessed with the plunge
into your luminous abyss.

There is an agreement and a quietness in everything.
And yet there is in me
a primordial urge:

feverish, like the insistence of ferocious
life, like the decree of death.

And I plunge, anchored
by my useless certitude; the same
as that of my father and all
my ancestors; the same
as that of all who have died in you and those who will
—in ecstasy!—
                    since Adam.

MULHER

Depilo tuas vestes íntimas
obcecado pelo mergulho
em teu luminoso abismo.

Há consenso e quietude em tudo. No
entanto há em mim
uma urgência atávica:

febril, como urgência da vida
feroz, como o decreto da morte.

E mergulho amparado
em minha certeza inútil; a mesma
do meu pai e de todos
os meus ancestres; a mesma
dos que morreram e morrerão em ti
– alegremente! –
desde Adão

Artery

Receive these eager fruit
I've invented in your praise.
As if you weren't
what you are, a woman,
but a pulsing pearl,
a blossom of onyx.

Receive me with my teeth
laurelled in promises;
receive me in your indecipherable
core.

It is I who plant
fire in your flesh (your refinery
at play);
it is I who spill stars
upon your zenith.

All in us is blood and flame,
for we love each other with History
tearing at our pores,
to the clamor of our broken-open africas.

There is no way to drain this river of magma,
there is no way to staunch this artery
made sweet by desire.

ARTÉRIA

Recebe estes frutos ávidos
que inventei para te louvar.
Como se não fosses
o que és, fêmea,
                    mas uma pérola acesa,
uma flor de ônix.

Recebe-me com meus dentes
laureados de promessas;
recebe-me em tua indecifrável
essência.

Sou eu quem semeia
o fogo em tua carne (tuas refinarias
lúdicas!);
sou eu quem derrama estrelas
em teu zênite.

Tudo em nós é chama e sangue,
porque nos amamos com a História
rasgando os poros,
com o clamor de nossas áfricas abertas.

Não há como secar esse rio de magma,
não há como conter essa artéria
que o desejo adoça.

Pergola

For Xanda

I will seize your labyrinths
before fear
hides your fruit;

Before the mobbing
of crows,
I will be the guest
of your burning
buds.

And I will be a shellfish in your convulsing
seas;
and I will be a pergola
where birds announce
your gardens;

and still that breeze that growls
untranslatable words.

Even if I have
to give
another form
to time.

PÉRGULA

Para Xanda

Sequestrarei teus labirintos
antes que o medo
esconda teus frutos;

antes que te acossem
os corvos,
                    serei hóspede
dos teus gomos
acesos.

E serei marisco em teus mares
convulsos;
e serei a pérgula
onde os pássaros anunciarão
teus jardins;

e ainda a brisa que rosna
as palavras intraduzíveis.

Mesmo que seja preciso
inventar
                    uma outra forma
de tempo.

A Line

Before it was a line
in a dream
        that set your lips
ablaze, before
your humus—for
you are the blossom of my clay
and the sun burns
your name into my
flesh.

From what cities
will I call you forth? Antioch?
Istanbul? Omyown?

I will know how to hold you
in my realm—
blooming and subtle
like the sleeping of fish.

And when you awake
between me
                                and the seasons,
I will be your *bateau ivre*
without return.

Empty hours, paid for
with pain,
                      I have buried them
in an earth without memory.

I lost centuries before you came.

LÉRIA

Antes fosse a léria
onírica
                    que te acende
o lábio, antes
o teu húmus – porque
és flor do meu barro
e o sol queimou
teu nome em minha
carne.

De que cidades
te chamarei? Anthióquia?
Istambul? Estarminha?

Saberei te guardar
em meu reino –
vicejante e sutil
como o sono dos peixes.

E quando acordares
entre mim
                    e as estações,
serei teu *bateau ivre*
sem retorno.

As horas ocas, financiadas
pela dor,
                    enterrei-as
na terra sem memória.

Perdi séculos antes de ti.

Gully

I am merely something that carries
instinct, a gully
that releases mysteries.

But when your eyes
draw near,
I see oceans, glory—a febrile babbling;
and the crossbeams of a heart
of nettles. So I,
the wind, raise up
a world of mirrors without doors.

Flowers blossom
in my pupils—
where I assist the night
in setting you aflame.

A restless thunderbolt
dwelling in your clothes.

CÓRREGO

Sou somente o que carrega
o instinto, um córrego
que desata enigmas.

Mas quando me acercam
teus olhos,
vejo mares, glórias – gárrulas febris;
e as vigas de um coração
de urtiga. Por isto,
vento. E ergo
espelhos onde não há portas.

Cresceram flores
em minhas pupilas –
donde assisto a noite
a incendiar-te.

Um raio insone mora
em tuas vestes.

Specter

She shares her walnuts
with the squirrels
and all around the city
like a sphinx.

With words
I can still embrace
her shoulders
and preserve the silence
in which her pearl is hidden.

Maybe I can
hide myself
beneath that breeze of absence
and the saber
that announces scars.

Maybe I can take her, too,
with the trees, the rivers,
the pebbles
and the dawn.

VISAGEM

Ela come nozes
com os esquilos
e ao redor a cidade
esfinge.

Com as palavras
ainda posso apertar
seus ombros
e guardar o silêncio
que oculta sua pérola.

Talvez eu possa
esconder-me
sob essa aragem de ausência
e o sabre
que anuncia as cicatrizes.

Talvez eu possa tomá-la
com as árvores, os rios,
os seixos
e o amanhã.

For the Time Being

If here I take delight
it's because of later
Torquato Neto

Por Aqui Agora

Se por aqui me deleito
é por questão de depois
TORQUATO NETO

Litany 1

I awake with mean street
machines
screaming
panicked syllables of a now
where vultures
tear apart utopias.

And I cling to repeating
this lyric
which makes it possible
to sprout again from beneath the dust.

Should I call it a prayer
or a nightmare,
this garden of ghosts
inciting
my eyes and my words?

There is nowhere to go,
and the sea, too, is filthy
with auguries.

Slowly I return to the heart
and to its toll,
able still to howl
above the sinking ship.

LITANIA 1

Acordo com o *trotoir*
das máquinas
gritando
as pânicas sílabas do agora
em que urubus
devoram as utopias.

E agarro-me à réplica
desta lírica
em que é possível
brotar sob o pó.

Chamarei de prece
ou pesadelo,
o jardim de espectros
que alicia
os olhos e a palavra?

Não tenho para onde ir,
também o mar está sujo
de augúrios.

Devagar regresso ao coração
e ao seu pedágio,
ainda posso uivar
sobre o naufrágio.

Litany 2

A luminous mist
drags away what bloodies
my feet
            in the time of poppies
hiding rifles;

it mines from me this cry,
a madman singing
to himself.

Everything falls apart
facing chaos and the fog
—and night flows on, asleep
on my shoulders.

Lend me your teeth, oh
morning
            of angels and hangmen—
so I can devour certainties.

I am alone,
between a rock and the sea,
but if the wind blows
I sing with my wings.

LITANIA 2

Uma névoa lúmine
arrasta o que me sangra
os pés
          em tempo de papoulas
sobre fuzis;

prospecta-me este grito
em que um louco canta
para dentro.

Tudo está ruindo
ante o caos e a caligem
– e segue a noite a dormir
em meus ombros.

Empresta-me teus dentes, ó
manhã
          de anjos e verdugos –,
para comer certezas!

Estou só,
entre a pedra e o mar,
mas se sopra o vento
eu canto com as asas.

Litany 3

When night
awakens
the beaten city,
a path opens
through a landscape of eyes;

in the insular jumble
of memory
where voices
conceive their exile.

When the night
awakens
the bewildered rose,
a singular path
of words
conceives a sun against the grain.

It could be of blood,
the legacy of that hour
that panthers share
with vultures;

it could be *agape*,
that suspended nakedness
leaving in rapture the colts
of vertigo.

LITANIA 3

Quando a noite
                acorda
a cidade açoitada,
um caminho se abre
na paisagem dos olhos;

no acervo insular
da memória
                onde as vozes
gestam seu exílio.

Quando a noite
                acorda
a rosa desvairada,
um caminho insólito
de palavras
gesta o sol na contramão.

Pode ser de sangue
o espólio dessa hora
que as panteras repartem
com os abutres;

pode ser de ágape
a nudez pendurada
que arrebata os potros
da vertigem.

LITANY 4

There is an incidental
night
here in the window
with its brush
of stars. The same
as that of the streets
and wandering delinquents.

Flowers and killers
take over
to dress themselves
in its ancestral garb.

I cannot drink it down
or tie it up like a
dog, nor even deny
its mysteries, but
I can scan it
into my geographies.

I wish I could forget
your name, oh sister
of the countless ones!
for the ground
of your silence is cold
and the road is deserted through fear.

But you dwell in my tracks
—crafty and fierce—
beneath the metrics of provisional time.

LITANIA 4

Há uma noite
incidente
aqui na janela
com seu pincel
de estrelas. A mesma
das ruas
e dos delinquentes.

Dela adonam-se as flores
e os assassinos,
para vestir
sua túnica ancestral.

Não posso bebê-la
ou amarrá-la como a um
cão, nem sequer renegar
seus arcanos, mas
posso escandi-la
em minhas geografias.

Quisera olvidar
teu nome, ó irmã
do inumerável!
porque frio é o chão
do teu silêncio
e deserta a estrada do medo.

Mas habitas meus rastros
– feroz e sorrateira! –
sob a métrica do tempo provisório.

Litany 5

My spirit—gray to gray—
welcomes
the wagon of words
in the winepress of the lips: purple
pulsing
of daggers and *flamboyants.*

My Edens
and my crosses
in the software of this scene.

I envision nothing but
a halo of avid
metaphors,
a volcano roaring forth moons.

Entwined with the seasons
of nomad hours
I wouldn't know how to sing
without this autumn's skin,
without the patina of that earth
of nothings.

LITANIA 5

Meu ânimo – gris a gris –
acolhe
        a carruagem de palavras
no lagar do lábio: púrpuro
latejar
        de punhais e *flamboyants*.

No *software* desta cena
estão meus édens
e minhas cruzes.

Nada posso antever
além de um halo de metáforas
ávidas e/ou
vulcão rugindo luas.

Cingido às estações
das horas nômades
não saberei cantar
sem a pele deste outono,
sem a pátina desse chão
de nuncas.

Litany 6

Now, here, this vacancy,
tied to the sound
                    of viscera
(and of dreams),
I burn in the scar of time
                              like a tiger
in flames.

I who whip
the dogs who eat the shadows;
I who sleep
between roses and the apocalypse,
I came to merge myself with stone,
I came to sing in the fissures of the rocks.

Here, sustained
by a verbal skeleton,
I bring nothing but this pollen
from a sun seeking no revenge.

Who calls out the name
that no longer dwells in me?
What wind lulls
                    my winged lips?

Obstinate against surrender,
I seek a land of avatars
greater
        than these fevered wanderings.

LITANIA 6

Agora, aqui, devoluto,
atado ao barulho
                    das vísceras
(e dos sonhos),
ardo a cicatriz do tempo
                              como um tigre
incendiado.

Eu que açoito
os cães comedores de sombras;
eu que durmo
entre rosas e apocalipses,
vim juntar-me à pedra,
vim cantar na fenda da rocha.

Aqui, sustenido
na ossatura verbal,
trago só este pólen
de um sol sem revanches.

Quem grita o nome
que já não me habita?
Que vento arrulha
                    meus lábios alados?

Renitente ao arrego
busco um chão de avatares
maior
        que esta febre de errâncias.

Litany 7

From the expanded window
in which the sphinx
                                        of stone
confronts me
                        with
a sparse scrubland of scattered dwellings,
I gallop day and night
upon my cry: ascetic
alien
locked within my circle.
I have come here
                                  unable
to carry what remains of me;
knocking door to door,
crying out a scrap
                                    of help.

(And the rock keeps an eye on me
--in silence—
as if it knows.)

I got here by a miracle:
dry tongue ablaze,
a ground of bleeding paws.

LITANIA 7

Da janela expandida
em que a esfinge
                    de pedra
me confronta
                com
sua restinga ciliar de vivendas,
galopo diuturno
este grito: ascético
alien
encerrado em meu cerco.
Aqui cheguei
                por inábil
em carregar meus restos;
batendo de porta em porta,
clamando um naco
                        de *help*.

(E a rocha me espreita
– em silêncio –
como se soubesse.)

Aqui cheguei por milagre:
a língua seca incendida,
o chão das patas sangrando.

Litany 8

With stories
instead of teeth,
I resist the slow decay
of viscera, alive
in my own legend's light.

They made me from this intimate
left-over of lightning
from which words emerge.

Since then, I've been many things: laughter
and slaughter; and the one who eats stars
with his biscuits.

Each enclosure, an everglade of mirrors,
every dream, a dried-up century.

And yet the verse roars on,
ancestral as a stone
and a branch from an acacia tree.

LITANIA 8

Porque tenho fábulas
no lugar dos dentes,
resisto ao lento ruir
das vísceras, aceso
em minha própria lenda.

Fizeram-me desta íntima
sobra de relâmpago
de que são feitas as palavras.

Desde então, sou vários: o que ri
e o que rinha; e o que come estrelas
com farinha.

Cada cerco é um charco de espelhos,
cada sonho, um século a seco.

No entanto, o verso rruge,
ancestral como a pedra
e o galho de acácia.

Litany 9

For Marcelo Sá Correa

An oblique byway
of saffron sunset
tells
the tenuous afternoon
in Laranjeiras.

And the rows of orchids
on General Glicérios
transpire indifferent
to what the city
hides in its thick pitch.

From my glistening desire
I attend
the vertigo
of the dying afternoon,
in which the lonely sun
loses its mane.
Nomad among the anonymous,
I gather poetry
in natura,
before the corpuscles of night
and a sky filled with rubies.

LITANIA 9

para Marcelo Sá Corrêa

Um viés crepuscular
de açafrão
resenha
a tarde tênue
em Laranjeiras.

E as aleias de orquídeas
da General Glicério
transpiram indiferentes
ao que a cidade
oculta em seu breu.

Do meu cio rutilante,
assisto
a vertigem
da tarde finda,
onde o sol solitário
perde suas crinas.
Nômade entre anônimos,
recolho a poesia
in natura,
ante os glóbulos da noite
e o céu de rubis.

Litany 10

for Célia Malheiros and Ronaldinho of the open market

I bite the flesh of strawberries
in the solar morning
                                        of Laranjeiras,
like someone chewing slices
of the happy word.
I cling to
                        this tiny and solitary
act
    on this frugal Saturday—
amongst scattered books
                                        and memories.
How much of me
                                    has been lost
in these mornings? And
how much can be redeemed?
Stuck in mud
and contingency,
I cry out the glory of the moment—
between absent fruit and desires.

If only I could be like birds
that ask no questions
or like stone
                        that only knows forever…

So, blessed be the flower
of this now,
in which I eat my strawberries
together with the morning sun.

LITANIA 10

para Célia Malheiros e Ronaldinho da feira

Mordo a carne dos morangos
na manhã solar
de Laranjeiras,
como quem mastiga os gomos
da palavra feliz.
Agarro-me
a este ínfimo e solitário
gesto
neste sábado frugal –
entre livros avulsos
e lembranças.
Quanto de mim
se há perdido
nestas manhãs? E
quanto me hei de resgatar?
Colado ao barro
e à contingência,
grito a glória do instante –
entre frutos ausentes e desejos.

Pudera ser como os pássaros
que nada perguntam;
ou a pedra
que só conhece o sempre...

Bendita seja, então, a flor
deste agora,
em que como morangos
com o sol da manhã.

Of Origins

The anthropophagus sea beats against the door…
Vincente Huidobro

Da Origem

El mar antropófago golpea La puerta...
Vicente Huidobro

Origins

For Dudu Galiza and Paulo Lins

Redeemed by the lash and the boot,
my ancestors came from the sea,
and I am the salt of their waves,
facing what was and will be.

White-washed a mixture of colors,
through time melted down to one,
something of beans and of bacon,
of coffee with a brown sugar bun.

As if it were the wind,
the earth slips by my feet,
giving a mask to bitterness,
placing hemlock in what is sweet.

Between the verandah and cook stove
many give me praise,
they embrace me, hand on holster,
and kiss with averted gaze.

ORIGEM

para Dudu Galiza e Paulo Lins

Do mar vêm os meus ancestres
remidos pelo tacão,
sou do sal dessas marés
ante o que houve e o que hão.

Das cores que me caiaram
já não distingo a mistura,
se de feijão com torresmo
ou café com rapadura.

A terra solta em meus pés
como se de vento fosse:
guarda um disfarce no amargo
e uma cicuta no doce.

Muitos me deitam louvores
entre a varanda e o fogão,
me abraçam com a mão no coldre,
me beijam como se não.

Origins 2

From sap that gives this color to my skin,
a drumhead stretched, baked brickwork from its kiln,

behold me, honored with a name, left free
to roam a back-street past of garbled abc's.

So many paths that I am in the dark:
have I done well, or have I missed the mark?

And being earth-bound, joyous as a brook,
I give myself in loam, blood, words, a book.

The one who "almost didn't make it," I
survived on puddles, muddy as a sty;

and then to find myself with words to dine
upon, seasoned syllables, proudly mine-

and note, at last, life's black-box mystery,
all skewed, and nothing as it seems to be.

ORIGEM 2

Da seiva que na pele me dá cor
de barro de olaria e couro de tambor,

eis-me timbrado e solto em muitas vias
sujas de outroras e de algaravias.

De tantas que eu até perdi a conta
do que me jaz por jus ou desaponta.

E em ser telúrico e alegre como os rios,
me dou em terra, em sangue e atavios;

eu próprio sendo o "quase que não vinga",
alimentado a barro de cacimba;

para tornar-me um comedor de verbos,
de sílabas com pimenta e – de soberbo –

notar que, enfim, a vida é caixa-preta,
tudo é transverso e nada ao pé da letra.

Homeland

For Wybson Carvalho

I return to you, Caxias,
to wash clear my eyes
tainted by the wind
and the salt air of the tides.

And I see there have been
fires
over your
name; and I see
your solitary heroes
against an abandoned sky.

Whom can I ask
about your fears?
What dogs have gnawed
your memory?

I comb the dust
of alleyways
for the founding stones
of my DNA, and cry out
to the guardian night
of the anonymous city,
and all I hear is yesterday
slamming shut the door.

Oh, ancient princess of my
wilderness, can you teach me
to wear your newest style?

TORRÃO

para Wybson Carvalho

Volto a ti, Caxias,
para lavar meus olhos
sujos de ventos
e de maresias.

E vejo que houve
incêndios
sobre o teu
nome; e vejo
teus heróis reclusos
no horizonte ermo.

A quem pergunto
sobre os teus medos?
Que cães roeram
a tua memória?

Vasculho no pó
dos becos
as fundações
do meu DNA, e grito
à noite guardiã
da cidade anônima,
e só ouço o ontem
a bater a porta.

Ó princesa anciã dos meus
sertões, me ensina a vestir
tua nova grife!

Return

For Nauro Machado

Worn warriors return, no longer bold,
like Odysseus home without his fleet,
--calling on lost and shadowed, shipwrecked souls—
to kiss the mythic ground beneath his feet;
returning home in patched and ragged clothes,
they wave their swords, they sing heroic doom,
they gaze at wild seas with deadly shoals,
then face the cry of paralytic noon.
In flight from dreams and failures, bruised inside,
I, too, rappelling down, have held my grip,
and come back to my homeland purified,
without Penelope, war horse, or ships,
just bringing with me blessings from on high,
words streaming from my throat and from my lips.

O RETORNO

para Nauro Machado

Voltam sempre os guerreiros já cansados
como Ulisses tornando à sua Ithaca
– conjurando os arcanos naufragados –
para beijar a sua terra mítica;
voltam febris de trapos remendados
terçando sabre e alguma lenda invicta,
face ao furor dos mares retornados,
face ao clamor da tarde paralítica.
Eu próprio me agarrei nesse rapel
do sonho e da desdita que aquebranta,
ao retornar ao chão que me decanta
sem nau, sem Penélope, sem corcel,
trazendo apenas o favor do céu
e um rio de palavras na garganta.

Countryside

I can't forget
my bones
                    in that countryside,
in the cold
of those memories of silence
and of stone.

I ache with all those dawns.

I've crucified myself with words,
a stranger in a tangled skein of homes. I am
the madman drinking down the desert.

With a single drop of dew
I search for a garden
that will recognize my fingerprints.

PAISAGEM

Não posso esquecer
meus ossos
                na paisagem,
no frio
dessas memórias de silêncio
e pedra.

Estou doente de auroras.

Crucifiquei-me com as palavras,
forasteiro em novelo de pátrias. Sou
o louco que bebe o deserto.

Com uma gota de orvalho,
busco um jardim
que reconheça as minhas digitais.

Countryside 2

Maybe all that remains to me
is what I've lost. And this
gift of stoning
                    the abyss.

There are moons on this stage.
And there are wolves awaiting me
in the dressing room.
But I go on gnawing at your fruit
                                        among numerals
and relics of the past.

Maybe all that survives is the mist
of those metaphors of thorns.

And your wilderness of lips
—crying out in all my dreams—
stirring my birds awake.

PAISAGEM 2

Talvez só me reste
o que perdi. E este
dom de apedrejar
abismos.

Há luas na ribalta.
E há lobos que me aguardam
no camarim.
Mas sigo a roer teu fruto
entre algarismos
e relíquias.

Talvez só resista a névoa
destas metáforas de espinhos.

E tua selva de lábios
– tão gritante em meus sonhos –
que acorda meus pássaros.

Trans

I am stuck to the skin
of those signs
that lead me
through immemorial night.

Through them I strike myself with lightning
amongst the hounds; in them
I wove my reeds of light
and dark; made of them
my sapphire labyrinths.

One day a phoenix
printed out my name
upon its wings;
since then I've been bewitched
(only)
to be born again:

overflowing through every me.

TRANS

Estou grudado à pele
destes signos
que me adestram
pela noite imêmore.

Por eles me relâmpago
entre matilhas; neles
teci minhas ráfias de luz
e sombra; deles
são meus labirintos de safira.

Um dia uma fênix
grafou meu nome
em suas asas;
desde então me encanto
(apenas)
para renascer:

transbordante em cada mim.

Fever of the Word

For Lobo Antunes and Rubem Fonseca

The fever of the poem
is the sound of a dream
in a word,

the clamor of eternity
urgent
(like Socrates
wanting to pluck a lyre
before he died).

Impressions surrender
to the risk
of crossing through the fire
without losing the game:
in the heaven of the mouth
the sun of language
weaves lightning.
And of this is the reign of the voice
over shadows; and of this
is the shape of the wind.

The fever of the poem is the thalamus
that gives a tongue to stone.

A rite skirting the edge of sin.

A FEBRE VERBAL

para Lobo Antunes e Rubem Fonseca

A febre do poema
é o ruído do sonho
na palavra,

o clamor da eternidade
urgente
(como Sócrates
que queria tocar lira
antes de morrer).

As impressões dão-se
ao risco
de cruzar o fogo
sem perder o jogo:
no céu da boca
o sol da linguagem
tece relâmpagos.
E disto é o reino da voz
sobre as sombras; e disto
é a forma do vento.

A febre do poema é o tálamo
que dá língua à pedra.

Um rito à borda do delito.

Labor

"blood is almost spirit"
Luis Miguel Nava

For Iracy Souza

I take apart the heart
and lay it out in sections
on the empty page.

One can hear the sound
of blood
breaking down
to syllables.

There is no fear and no compulsion.
Just an orgasmic outflow
from a fathomless sea.

Like the labor of a spider
weaving rays of light.

LABOR

"sangue é quase espírito"
LUIS MIGUEL NAVA

para Iracy Souza

Destrincho o coração
e o disponho em fatias
sobre a pauta em branco.

Dá para ouvir o som
do sangue
            se desmanchando
em vocábulos.

Não há receios nem compulsão.
Há somente a foz do orgasmo
de um oceano insondável.

Como o labor de uma aranha
que tece raios.

OF REBIRTHS

One is only born
when it is we
who are in pain
Natália Correia

DOS RENAS(SERES)

A gente só nasce
quando somos nós
que temos as dores
Natália Correia

Mapping the Tribe

For Celso Borges and Ronald Almeida

Praised be the murmur
of the sea of São Marcos
washing away my tracks;
praised be the ground
that sums me up.
– Land of brawls beneath metaphors.
I speak the voice of those not here:
(Urubus, Guajás, Tamiras):
"The first ones
turned us into slaves;
our daughters they stole,
lies they told,
then sold them: none were saved." *

I speak of those from whom I come:
(Yorubá, Gêge, Nagô):
"Don' worry 'bout them get caught,
with them blacks passed on for life
and all writ down by scribes in court;
They got they sack of gold and hitched-up wife." *

Oh, ancestral wind
of languages that erase me.
Hidden in my corner
my yesterday's still chase me .

*Both quotations taken from idealistic, abolitionist, romantic poet Sousândrade's monumental work *Guesa Errante* (1858-1888).

O MAPA DA TRIBO

para Celso Borges e Ronald Almeida

Louvado seja o rumor
do mar de São Marcos
que me lava os rastros;
louvado seja o chão
que me resume.
– Chão de rixas sob metáforas.
Falo na voz dos ausentes:
(Urubus, Guajás, Timbiras):
"Os primeiros fizeram
as escravas de nós;
nossas filhas roubavam
logravam
e vendiam após". *

Falo dos que me derivam:
(Yorubá, Gêge, Nagô):
"Não precisa prendê
quem tem pretos p'herdá
e escrivão p'escrevê;
basta tê
burra d'ouro e casá". *

Ó vento ancestral
das línguas que me rasuram!
Recluso em meus anexos
meus ontens me procuram.

*Excertos do *Guesa Errante*, de Sousândrade.

Pariah 2

Indeed, it didn't spring from you, that grand
illusion that one day I'd dare to leap
beyond desire and what one might conceive
beneath the strong-armed rulers of this land.

Outraged by obstacles, I roared defiance
and sought applause for going against the flow,
yet, having tamed the crowd, was forced to know
the only possible result was silence.

The tale, the plot, it all was woven wrong:
the hostile mark of humans bound for cash,
staining the skin of the rejected son;
and further, that unpleasant little task:
to swim and swim across an endless sea.

It is better to dream than merely be.

PÁRIA 2

Não dependeu de ti esta ilusão
de um dia ter ousado o impossível,
foi maior que o desejo e o que é crível
nas forças que dominam sobre o chão.
Foi quase um clamor ao intransponível,
buscar o aplauso pela contramão;
e ainda que domando a multidão,
só o silêncio se tornou possível.
Tinha tudo de errado nessa trama:
a marca hostil da servidão humana
tingindo a cor do filho renegado;
além do dissabor dessa gincana
de atravessar um oceano a nado.

Mas foi melhor do que não ter sonhado.

Task

What holds me is this alone:
the task of weaving clouds.

From stone.

OFÍCIO

Eis o que me enreda:
o ofício de tecer nuvens.

De pedra.

Nick Levitin

Salgado Maranhão, winner of all of Brazil's major poetry awards, has toured the United States five times, presenting his work at over one hundred colleges and universities. In addition to fourteen books of poetry, he has written song lyrics and made recordings with some of Brazil's leading jazz and pop musicians. He has published three previous collections of his work in English: *Blood of the Sun* (Milkweed Editions, 2012), *Tiger Fur* (White Pine Press, 2015), and *Palavora* (Dialogos Books, 2019). On Nov. 13, 2017, Salgado received an *honoris causa* doctorate for his cultural achievements from the Federal University of Piaui in Teresina, Brazil.

Nick Levitin

Alexis Levitin has published forty-five books in translation, mostly poetry from Portugal, Brazil, and Ecuador. In addition to three books by Salgado Maranhão, his work includes Clarice Lispector's *Soulstorm* and Eugénio de Andrade's *Forbidden Words*, both from New Directions. He has served as a Fulbright Lecturer at the Universities of Oporto and Coimbra, Portugal, The Catholic University in Guayaquil, Ecuador, and the Federal University of Santa Catarina, in Brazil and has held translation residencies at the Banff Center, Canada, The European Translators Collegium in Straelen, Germany (twice), and the Rockefeller Foundation Study Center in Bellagio, Italy.

Made in the USA
Middletown, DE
05 April 2021